ARTE E HISTORIA

MUSEO DEL PRADO

AUTOR TEXTOS
JESUS MANUEL MARTINEZ

MAQUETACION-Miquel Ortiz
SECRETARIA DE REDACCION-Montserrat Juan
FOTOGRAFIAS-Salmer-Servicios Fotográficos
Editoriales, S|A

© Ediciones Castell, S. A.
Impreso en Industria Gráfica Domingo, S. A.,
San Juan Despí (Barcelona)
Dep. Leg.: 41.089-82 - I.S.B.N.: 84-7489-039-X

EDICIONES CASTELL

EL MUSEO

SU HISTORIA

Solemos enorgullecernos los españoles de contar con el mejor museo de pintura del mundo, y nos halaga oír a nuestros visitantes afirmar otro tanto. Naturalmente, sabemos que nadie podrá jamás asegurar que tal o cual museo mejora a los demás, igual que no se puede decir quién ha sido el mejor pintor de todos los tiempos. Nos movemos aquí en los dominios en verdad inmensurables de las grandes creaciones humanas, y éstas, por definición, resultan incomparables y únicas, como el propio ser humano.

Digamos pues, sencillamente, que el Museo del Prado es una experiencia irreemplazable para cualquier aficionado a la pintura; que ningún especialista, crítico o pintor, puede considerar completa su formación sin haberlo visitado y estudiado; y que, por sí solo, el Museo del Prado constituye una escuela inagotable de enseñanzas artísticas, históricas y culturales.

Además de un museo, el Prado es también un monumento social de primer orden, y un compendio de la mejor historia de España. La huella del período más excelso de la historia nacional española sigue viva en la literatura del Siglo de Oro, y en la lengua que hoy hablan trescientos millones de personas en todo el planeta; el Prado es el otro testimonio tangible, inmediato, del lugar que España ocupó en el mundo en la época de su grandeza imperial. Pues aunque la construcción del museo data sólo de principios del siglo XIX (su inauguración tuvo lugar en 1819), las extraordinarias colecciones de maestros europeos que conserva el Prado son un tributo a la grandeza política de los primeros Austrias, y en especial de Felipe II, a quien España debe la posesión de uno de los primeros acervos pictóricos del mundo. El rey que ha pasado a la leyenda como símbolo de austeridad, de frialdad y de pragmatismo, sólo tiene rival en los Medici florentinos a la hora de valorar sus cualidades de conocedor y de amante de la creación artística. El Prado es uno de los más acabados testimonios de nuestros viejos esplendores. Con Goya, será asimismo espejo de nuestras incontables miserias, pero también la mejor prueba de esa lucidez con que la inteligencia española se rebela contra cada una de ellas.

La historia del Museo del Prado es, pues, inseparable de la historia misma de España. La creación de una gran pinacoteca es aspiración que se remonta por lo menos al reinado de Felipe II, y común desde entonces a cuantos le sucedieron en el trono. No deja de ser irónico que sólo haya podido crearse, y casi inesperadamente, en uno de los momentos más tristes y menos fecundos de la vida española: apenas terminada la guerra contra los franceses, en el reinado lamentable de Fernando VII.

Las Colecciones Reales

No hace falta insistir, por lo tanto, en que para trazar los orígenes de lo que hoy es el Museo del Prado haya que remontarse a períodos muy anteriores a su existencia formal como institución. Hasta 1819 la historia del museo es la historia de las Colecciones Reales, por un lado, y por otro de los intentos por agrupar dichas colecciones de tal modo que pudieran ser accesibles a los estudiosos y al público.

Diego de Silva *Velázquez*, «Las Meninas».

3

La afición de los monarcas españoles a la pintura es de sobra conocida. Hasta Felipe II, sin embargo, no empieza a formarse una colección cuya continuidad se haya prolongado hasta nuestros días. Sabemos que Isabel la Católica fue la primera reina que llegó a constituir una colección digna de tal nombre, clasificada e inventariada a su muerte de modo que todavía podemos conocer su composición. En ella predominaban los pintores flamencos, pero también figuran dos obras de sendos maestros italianos: Botticelli y el Perugino. Los gustos de la reina por la pintura flamenca son reflejo de unas relaciones cada vez más estrechas entre la corona de Castilla y los Países Bajos, pero también de unas preferencias que ya son tradicionales en la corte de Castilla: Enrique III había donado al monasterio del Parral, de Segovia, una tabla de Van Eyck, *La Fuente de la Gracia,* que actualmente pertenece al Prado. Y antes aún, en la primera mitad del siglo XV, Juan II ya había donado tres tablas de Van der Weyden a la Cartuja de Miraflores (Burgos). Al morir Isabel la Católica, sin embargo, la colección es liquidada en cumplimiento de las obligaciones testamentarias, salvándose apenas las 38 pinturas que la reina había depositado en la Capilla Real de Granada. Por otro lado, hay que lamentar que la afición de los monarcas castellanos no se haya extendido a los primitivos españoles del siglo XV, deudores de las enseñanzas de los pintores flamencos, pero dotados de esa personalidad inconfundible que hoy admiramos en las tablas de Bartolomé Bermejo o de Fernando Gallego. De hecho, esos pintores han entrado en el Museo del Prado en época muy reciente, procedentes de algunas iglesias, pero también de los fondos de coleccionistas y anticuarios europeos que los habían identificado como maestros flamencos anónimos.

Una afición verdaderamente sólida a la pintura se advierte por primera vez en el emperador Carlos V. Aún niño, había sido retratado por Lucas Cranach el Viejo. El emperador no dejó de aprovechar ninguno de sus viajes europeos para admirar los cuadros que más podían interesarle. Pero lo más destacado de esta afición son las relaciones inolvidables del emperador con Tiziano, tan admirativas y constantes como violentas y sobresaltadas habían sido otras relaciones famosas en el mismo siglo XVI: las de Miguel Angel y el Papa Julio II.

El abuelo del emperador, Maximiliano, había sido protector de numerosos artistas, entre ellos Durero y Cranach. Carlos V era asimismo descendiente de los duques de Borgoña, señores de Flandes y entusiastas de la pintura de los Países Bajos. Carlos V trajo a España pintura de Memling y del Bosco, pero desde su encuentro en Venecia con Tiziano ya no cambiaría sus preferencias. Desde entonces no conocería otro retratista. «Cuando el hombre muere no deja más que sus obras. No será, pues, dinero peor el que se invierta en asegurar su recuerdo»: así justifica el emperador, en uno de sus escritos, sus numerosos encargos al pintor veneciano.

Esta relación privilegiada es cultivada con la misma devoción por el hijo del emperador, Felipe II. En sus aficiones artísticas Felipe II es un hombre del Renacimiento, tributario de una cultura todavía no estrangulada por los rigores de la Contrarreforma española. El espíritu inquisitorial propio de sus herederos y sucesores se avergonzará de unas pinturas paganas, eróticas o irreverentes (piénsese en los Boscos, que Felippe II tuvo siempre en sus propios aposentos) seleccionadas y adquiridas con tanta admiración como conocimiento. Felipe II permaneció fiel al Tiziano durante toda su vida; se había encontrado con el pintor en Milán, en 1548, y de ese encuentro data el primer retrato que hiciera del monarca, retrato que sería enviado a María Tudor de Inglaterra a modo de presentación de su prometido.

La afición de Felipe II, sin embargo, no se agotaba en su amor por el Tiziano. Fue un conocedor competente y puntilloso, que encontraba tiempo para preocuparse por el embalaje de los cuadros que se hacía enviar desde el extranjero. A la ya importante herencia paterna, tuvo la fortuna de añadir el legado de su tía María de Hungría, abundante también en obras de Tiziano; a la colección de esta extraordinaria conocedora pertenecían, entre otros, el *Descendimiento* de Van der Weyden (pág. 48), y el célebre *Desposorio de los Arnolfini,* de Van Eyck, que salió de España durante la guerra de la Independencia, y hoy es una de las obras más importantes de la National Gallery de Londres. Con todo, es a su propia y personal pasión por la pintura, y no a las herencias, a la que hay que atribuir el acopio de una colección que, al ser inventariada en El Escorial por fray Julián de Zarco, comprendía mil ciento cincuenta cuadros.

A Felipe II hay que atribuir también lo que podemos considerar como el gran antecedente de una pinacoteca en España. Primero utiliza el nuevo palacio del Pardo, tal vez queriendo ofrecer a su esposa Isabel de Valois algo similar a lo que había conocido la reina en su palacio de Fontainebleau, como una verdadera galería de pinturas. Pero esta primera tentativa, frustrada además por un incendio que en 1564 destruyó no pocos cuadros, palidece ante la fundación del Escorial, adonde el rey trasladará toda su colección de pintura.

De nuevo hay que referirse en este punto a la supuesta austeridad de Felipe II, cuya expresión se ha querido ver en el grandioso palacio-monasterio de la sierra madrileña. Baste decir, para desmentirla, que los pintores elegidos por el monarca para la decoración de la obra fueron nada menos que el propio Tiziano, demasiado viejo ya para venir a España, y los otros dos grandes del XVI veneciano, Tintoretto y Veronés, quienes por desgracia tampoco habrían de realizar el viaje.

Pertenece a la mitología, por cierto, el choque de Felipe II con El Greco. Por un lado, sabemos que no fue desdeñado por pintores inferiores, puesto que el rey, como acabamos de ver, cifraba sus esperanzas para la decoración del Escorial en los tres grandes maestros venecianos. Por otro lado, si bien es verdad que el rey atendió los argumentos que rechazaban el *San Mauricio* por su escaso valor devocional como pintura de iglesia, no lo es menos que incorporó el cuadro a su propia colección en un lugar honroso, pagando él bastante más que por la mediocre pintura finalmente colocada en la iglesia del monasterio.

Tal vez si El Greco hubiera querido insistir, hubiera terminado por obtener un lugar como pintor en la Corte. Parece lógico pensar que en su venida a España influyeran las noticias sobre la construcción del Escorial y la gran demanda de pinturas que la inmensa obra reclamaba. Un pintor que, a su paso por Roma, se había declarado dispuesto a repintar la Capilla Sixtina, si por fin la Curia decidía de una vez borrar los «obscenos» frescos de Miguel Angel, sin duda se consideraba más que capaz de decorar él solo todo el palacio de Felipe II. Pero ya desde Roma sus pasos apuntaban a Toledo, y a Toledo se fue después de su relativo fracaso en El Escorial. Toledo era entonces la ciudad más importante de España, la más cosmopolita, la más libre, la más culta. El Greco hizo la gloria de la ciudad en la pintura, hasta el punto de hacer inseparables ambos nombres, Toledo y El Greco, en la historia universal del arte.

La espléndida colección de Grecos del Museo del Prado no procede, por lo tanto, de las Colecciones Reales. Su incorporación es resultado de afortunadas adquisiciones del propio museo, de donaciones, y de la reagrupación de los cuadros propiedad de iglesias y conventos desamortizados en el siglo XIX. El aprecio universal de su pintura es relativamente reciente: tanto, que la prolongada negligencia hacia su obra ha sido compensada en la primera mitad de este siglo por especulaciones gratuitas (sus defectos visuales, origen del alargamiento típico de sus figuras; el uso de los locos del Hospicio toledano como modelos para sus Apostolados, etc.). Hoy sabemos que la enorme originalidad del Greco, su vocación de colorista en una era de pintores dibujantes, su fidelidad a las tradiciones bizantinas aprendidas en el curso de su primera formación, la asimilación de las lecciones de los grandes pintores venecianos, la propia conciencia que el artista siempre tuvo de su maestría, en fin, su nada desdeñable cultura humanística, explican suficientemente una obra en la que nada hay de misterioso sino el genio.

Felipe IV. Velázquez

Por fortuna, la pasión por el arte llegó intacta al nieto de Felipe II. Si cabe, con una dedicación más encarnizada, como si el desdichado Felipe IV hubiera tratado de compensarse en este dominio de sus continuos descalabros políticos. El inventario de su colección, en el año 1700, comprende un total de 3.917 cuadros conservados en los distintos palacios reales, amén de otros 1.622 depositados en El Escorial. Pero estas cifras palidecen ante un nombre: Velázquez. Con Velázquez, la historia de las Colecciones Reales (la verdadera historia del Museo del Prado), se convierte ya definitivamente en la gran historia de la pintura española.

Velázquez nació en Sevilla en 1599, en el seno de una familia de emigrados portugueses originarios de Oporto. Su formación como pintor empieza a los once años, al ingresar como aprendiz en el taller de Francisco Pacheco, su futuro suegro. Sevilla era por entonces un centro pictórico orientado por completo hacia los encargos eclesiásticos; una gran parte de los pintores, al modo de los famosos «madoneros» venecianos, se dedicaba casi exclusivamente al lucrativo mercado de pintura religiosa que demandaban en gran cantidad las iglesias y conventos de allende el Atlántico. El propio Pacheco, alcalde del gremio de pintores, y figura de gran notoriedad en Sevilla, es veedor o censor de pinturas de la Inquisición sevillana.

Pacheco no ha pasado a la historia como un pintor extraordinario, pero sí como un estimable tratadista, y, desde luego, como un formidable pedagogo. El vanguardismo pictórico de los comienzos del siglo XVII se llamaba Caravaggio, y la tertulia de Pacheco fue apasionadamente caravaggista: pintar no era formalizar una realidad recompuesta a partir de una filosofía o una teología; era, sobre todo, acercarse al natural, y atreverse a pintarlo tal como era. La nobleza de la pintura no resultaba de su dedicación a géneros presuntamente sublimes, sino una cualidad inherente que resplandecía del mismo modo en el bodegón más prosaico, o en el retrato de un individuo feo y contrahecho. Es ésta la primera gran lección que Velázquez incorpora a su pintura: obsesionado, como toda la España de la época, por ideas de nobleza e hidalguía, martirizado por una sociedad que todavía considera la pintura como vil oficio, impropio de caballeros (pues un caballero jamás desciende a trabajar con las manos), Velázquez aspirará a la gloria personal y artística, sin renunciar, por ejemplo, a pintar al dios Baco rodeado de auténticos y groseros borrachos, y no de ninfas con el vino sublimado.

Velázquez pasa a la Corte a los veinticuatro años, en 1634, llamado por el conde-duque de Olivares, el hombre fuerte del reinado. Pronto haría el pintor el primero de sus muchos retratos de Felipe IV, y también otro del príncipe de Gales, el futuro Carlos I de Inglaterra, a la sazón en Madrid para concertar matrimonio con la hermana del rey de España. Al poco Velázquez sería nombrado pintor del rey, iniciándose así una estrecha relación personal que sólo concluiría con la muerte del artista.

Se han perdido no pocas de las obras realizadas por Velázquez durante sus primeros años cortesanos. Pero subsiste, entre otras, el célebre cuadro ya aludido, *El Triunfo de Baco (Los Borrachos)*, pintado en 1628. En 1630 velázquez obtiene la licencia regia para viajar a Italia, deteniéndose en Venecia y Roma, etapas indispensables en la formación de un pintor. Regresa mucho más seguro de sí mismo, consciente de una personalidad pictórica propia que ya puede afirmarse con libertad absoluta. De este segundo período de su carrera madrileña datan sus magistrales retratos: uno de los primeros, el de *Pablos de Valladolid* (pág. 26), registra la audacia de prescindir completamente del fondo acostumbrado, perfilando la figura del personaje contra un fondo monocolor, neutro, en el que la sombra de las piernas del personaje es suficiente para crear todo el volumen y todo el espacio.

Esta fórmula sería adoptada por Manet, gran admirador de Velázquez, dos siglos y medio más tarde (piénsese en su conocido cuadro *El Pífano*). Pero se trata de un recurso excepcional. Del mismo período, en efecto, son los prodigiosos retratos ecuestres de distintos miembros de la familia real, donde los paisajes de fondo, evocadores de los abiertos espacios en las primeras estribaciones de la sierra madrileña, constituyen uno de los más inolvidables aspectos del genio velazqueño. Pintados de memoria, en el estudio, tales paisajes revelan una capacidad inusitada de recrear la temperatura, la luz, el aire, que presagian el paisajismo al natural propio de épocas muy posteriores en la historia de la pintura. En *La Rendición de Breda* (pág. 22), las lanzas, elemento tan definitorio que ha dado nombre popular al cuadro, no hacen sino acentuar la presencia de una atmósfera que no es un mero «fondo» de la pintura, sino, como en la realidad, una corriente viva y absolutamente visible en su transparencia.

La actividad de Velázquez entre sus dos viajes a Italia se completa con sus retratos de bufones y enanos. Velázquez se mantiene fiel aquí a las convicciones del grupo sevillano animado por Pacheco. A esos personajes desdichados, objeto de domesticación cortesana como tontos de palacio y chistes vivientes, el pintor «los cubrió de tal manera con el prestigio de sus pinceles, con el respeto tranquilo con que pintaba a los príncipes, que ha hecho de ellos verdaderos monumentos de humanidad, sin corregir para nada sus deformidades» (Julián Gállego).

En 1648 vuelve Velázquez a Italia. Esta vez ya no se trata únicamente de estudiar a los maestros, pues Velázquez ha logrado que el rey contemple seriamente el establecimiento de una gran galería de pinturas, y se ha ofrecido para seleccionar y comprar obras de los grandes artistas italianos. En un documento citado por Sánchez Cantón, quien considera el episodio como uno de los antecedentes remotos del Museo del Prado, encontramos una relación de los pintores que Velázquez recomienda a Felipe IV: Tiziano, Veronés, Rafael, Bassano, Perugino... El plan no tendría cumplimiento, si bien Velázquez regresó efectivamente con un cierto número de obras de arte.

En Roma, Velázquez pintó el famoso *Inocencio X* (Galería Doria, Roma), obra capital en la historia del retrato (pintor de pintores, la obra de Velázquez parece constituir un desafío irresistible para los modernos: de este retrato existe una versión admirable realizada por Francis Bacon). Pero pintó también dos pequeños cuadros, casi anecdóticos e insignificantes en comparación con sus obras monumentales, y que, a pesar de todo ello, ocupan un lugar muy peculiar en la evolución de la pintura. Se trata de los paisajes de la *Villa Medici;* hoy se estima que fueron pintados del natural, al aire libre, y se aprecia en sus efectos atmosféricos y lumínicos, y en la técnica empleada (la pincelada corta, en forma de coma), una manera de ver y de pintar que no se había conocido antes, ni se volverá a conocer hasta el arribo de los Impresionistas.

De la misma estadía en Roma data *La Venus del Espejo* (National Gallery, Londres), así como otros tres desnudos, hoy perdidos: así pues, el más bello desnudo de la pintura española fue pintado a buen recaudo de la Inquisición peninsular, y prácticamente bajo los ojos del Papa... Intriga imaginar qué caminos temáticos hubiera podido emprender la pintura de Velázquez si, al cabo de año y medio, Felipe IV no fuerza su regreso a España, impaciente por verlo realizar el retrato de su nueva esposa, doña Mariana de Austria. Honrado y festejado en Roma como un genio, ahora empezará en Madrid la penosa batalla del pintor por obtener, al fin, ese hábito de Santiago que hará de él un caballero, pero que el rey no le permitirá vestir antes de 1658.

A esta última etapa de su vida (Velázquez muere en 1660, a los sesenta y dos años) pertenecen algunas de sus pinturas más memorables. Entre ellas, la asombrosa serie de los retratos de la infanta Margarita, que permiten apreciar aún más claramente que en el resto de sus obras esa pincelada suelta, a medio terminar, que revela los detalles de un vestido complicado sin detenerse a describirlos, mostrando la realidad sin detenerse jamás a imitarla, y descubriendo en la pintura, en la materia pictórica misma, unas posibilidades antes desconocidas, y más tarde desarrolladas en esa gran renovación del arte de pintar que llamamos Impresionismo; no en vano los primeros impresionistas convirtieron en obligada la peregrinación al Museo del Prado.

La infanta Margarita protagonizaría también la pintura que unánimemente se considera como la obra cumbre de Velázquez: *Las Meninas* (pág. 2). La anécdota del cuadro es de sobra conocida: Velázquez se encuentra pintando el retrato de la pareja real en su estudio del Alcázar madrileño, cuando la infanta irrumpe en la estancia acompañada de su pequeña corte. La trivialidad del asunto resulta, como hemos visto anteriormente, perfectamente adecuada al concepto pictórico de Velázquez. Igualmente propia le es esa obsesión, visible ya en sus primeros cuadros sevillanos, por detener el tiempo, por sorprender el movimiento, por dar al espectador el instante anterior y el instante siguiente al que aparece en el cuadro. Es un interior verdaderamente prodigioso, un juego de planos y de atmósferas que supera las limitaciones del lienzo y se derrama hacia un espectador que ocupa el lugar de los protagonistas (de los reyes). El pintor ha mezclado, como un mago, todos los papeles: el punto de vista del cuadro es el nuestro, y Velázquez, que tanto nos ha hecho mirar el resto de sus cuadros, que ha mirado tanto en beneficio nuestro, es ahora el que nos mira a nosotros, como no queriendo saber nada de la escena que, sin embargo, ha pintado. La obsesionante fascinación de este cuadro, de este juego de espejos superintelectualizado, ha dejado y sigue dejando una huella profunda en la literatura y en el arte, y más en nuestro siglo que en ningún otro (Foucault, Dalí, Picasso). Pero ya en su tiempo Lucas Jordán acertó a definir esta obra como una «teología de la pintura», como queriendo advertir a los espectadores que, incautos, tuvieran la tentación de ver aquí una obra meramente descriptiva y realista: lo que hay es una superación misteriosa e inquietante de la frontera entre la realidad y el arte, entre el presente y el pasado, entre lo pintado y lo vivo. En toda la historia de la pintura puede que no haya obra más compleja que Las Meninas.

Las Hilanderas (pág. 26) es uno de los últimos cuadros de Velázquez. De nuevo la anécdota (en este caso tomada de la mitología, pero reinterpretada con el naturalismo que ya habíamos contemplado en *Los Borrachos*) tiene aquí connotaciones filosóficas y simbólicas, cuyo análisis ha sido hecho con gran sagacidad por Julián Gállego, a quien debemos también esta valoración magistral de la pintura: «su Protoimpresionismo llega a extremos más audaces que el propio Impresionismo francés de finales del siglo XIX: basta ver cómo la rueca de la vieja del primer término gira a tal velocidad que los radios de la rueda desaparecen y la mano que la impulsa es una simple mancha circular; nunca, hasta los «futuristas» italianos de nuestro siglo, se había representado el movimiento de modo tan audaz y exacto».

La obra de Velázquez, más que ninguna otra, determina hoy el lugar que ocupa El Prado entre los museos del mundo. Pero Velázquez debe ser contado, además, entre los padres del museo, por su vinculación como pintor del rey al incremento y cuidado de las Colecciones Reales: así, en 1656 nos lo encontramos comisionado en El Escorial para ordenar los lienzos de las Salas Capitulares, de acuerdo con un concepto sistemático que incluía la confección de una Memoria (un catálogo) explicativa de las características de cada obra, con sus autores y procedencias. Muchos de esos cuadros (no todos: El Escorial, como se sabe, conserva una colección espléndida) pasarían a enriquecer los muros del Museo del Prado a lo largo de su existencia.

De todos modos, sería injusto limitar la afición de Felipe IV a la protección y al afecto con que distinguiera a Velázquez, olvidándonos de su empeño lúcido y sistemático por mejorar las Colecciones Reales. Así, sus esfuerzos por obtener obras de Rafael, hasta entonces mal representado. Así, su participación en dos de las más fabulosas subastas de la historia del coleccionismo: la liquidación de la extraordinaria colección de Carlos I de Inglaterra, tras la decapitación de este monarca, en la que los enviados de Felipe IV compraron obras de Mantegna, de Andrea del Sarto, de Rafael, de Tiziano, de Veronés, de Tintoretto, de Durero, de Corregio; y la venta, a la muerte de Rubens, de sus colecciones personales, donde se compraron obras de Van Dyck, de Tiziano, y, por supuesto, del propio Rubens.

Los Borbones. Goya

El agotamiento de la dinastía de los Austrias, y el advenimiento de los Borbones, no alteró en absoluto la línea de aumento y enriquecimiento de las Colecciones Reales. Felipe V e Isabel de Farnesio traen a España pintura francesa (Poussin), y la escasa representación holandesa que en su día llegará al Museo del Prado (Teniers, Snyders). La reina es responsable, por otro lado, de una vasta operación de acopio de Murillos, trasladados a Madrid desde Sevilla. El desastroso incendio del Alcázar madrileño en 1734, en el que se pierden 537 pinturas (Ticiano, Rubens, Velázquez), empaña, sin embargo, el aporte artístico de este reinado.

A los tiempos reformadores e ilustrados de Carlos III corresponde, por paradoja, uno de los episodios menos edificantes de esta historia: nada menos que la decisión, que llegó a ser rubricada por el rey, de quemar los desnudos existentes en las Colecciones Reales, entre los que se hallaban, y afortunadamente todavía se hallan, obras de arte inestimables. Sólo la intervención del pintor Antón Rafael Mengs logró evitar *in extremis* el espantoso auto de fe, a cambio del encierro de las pinturas en algún sótano de la Academia de Bellas Artes de san Fernando, infierno en que permanecerían condenadas hasta su traslado al Prado en 1827.

Entre los Borbones es Carlos IV quien se destaca como coleccionista brillante y entendido. Aún príncipe, ya reúne en su Casita del Escorial una estimable colección personal, a la que pertenece nada menos que *El Cardenal*, de Rafael (pág. 46). Con el tiempo adquirió íntegras cuatro importantes colecciones particulares españolas; la *Artemisa*, de Rembrandt (pág. 67), es una de las obras cuya presencia final en el Prado debemos atribuir al buen criterio de Carlos IV. Tuvo también la dudosa fortuna de vincular a su casa, en calidad de pintor de Cámara, a Francisco Goya: dudosa, porque quizás otro pintor con menos genio que el aragonés hubiera librado a Carlos IV y a su familia de esos retratos, ciertamente magistrales, que perpetúan en la historia la miseria pretenciosa de un reinado mediocre, triste y sin inteligencia.

La carrera de Goya abarca en realidad tres reinados, pues ya es admitido en la corte bajo Carlos III, y fallece en Burdeos en 1828, a los ochenta y dos años, asqueado de las persecuciones y del hundimiento moral provocados por Fernando VII. Desde los primeros cartones para tapices realizados en Madrid, hasta sus pinturas negras de la Quinta del Sordo (pág. 38), la obra de Goya es una de las más consumadas demostraciones de pasión y de versatilidad artísticas. Pudo haber pasado a la historia como el amable pintor rococó de sus comienzos, o como el sucesivo retratista original, atrevido, profundo, lleno de sentido histórico. Pudo quedarse en apacible y doméstico pintor de corte (ni siquiera desdeñó retratar a José I Bonaparte), pero fue incapaz de reprimir su instinto de pintor de vena popular, casi canalla. Ganó el pan más de una vez como pintor de santos, pero a él debemos las más sangrantes denuncias pictóricas de la Inquisición, y suyas son las brujas, los demonios, los aquelarres, y las mujeres desnudas y sensuales. Académico de san Fernando, y afrancesado, será Goya quien hará inmortal en la pintura la sublevación del pueblo madrileño contra los franceses, y hará la denuncia más dura de la brutal represalia *(Los Fusilamientos de la Moncloa,* pág. 39). Como Rembrandt, tuvo la humildad suprema de verse a sí mismo en cada etapa de la vida en sinceros autorretratos. Y fue también un dibujante incansable, y un grabador cuya obra impresa es suficiente para llenar un capítulo importante de la historia del arte.

Como El Greco, como Velázquez, Goya es irreductible a una escuela, a un período, o a una manera. Tan original como lo fueron los dos anteriores, no es extraño que sea citado junto con ellos como precursor de tendencias, estilos y mentalidades que sólo han tomado cuerpo a finales del siglo XIX y a lo largo del siglo XX. La reunión de estos tres genios es lo que hace del Museo del Prado un enclave sin posible equivalente. De ahí que la visita de los Impresionistas franceses (por primera vez, en el siglo XIX, el nuevo museo hace de España una etapa necesaria en la formación de cualquier pintor que pretenda ser importante) sea un indicio de la función verdaderamente seminal del Prado en los orígenes del arte moderno.

Goya ha creado imágenes inmortales, definitivamente incorporadas ya al acervo de nuestra sensibilidad colectiva. Así, la ferocidad de *Saturno devorando a sus hijos,* o la demencia fratricida, parábola de todas las guerras civiles españolas, de *La lucha a garrotazos.* Las más inolvidables, con todo, son las dos *Majas,* y la estremecedora escena de *Los Fusilamientos.*

Las *Majas* fueron pintadas en fecha desconocida, sin duda entre los años 1800 y 1805. Goya sufrió proceso de la Inquisición por estos cuadros, en 1814, y es preciso reconocer que no se equivocaban, en su fúnebre antihumanismo, los inquisidores: el reclamo erótico de estas pinturas llega intacto hasta el espectador de nuestros días, absorto ante el ofrecimiento de una sexualidad cálida, franca. ¿Retratos de la duquesa de Alba? Nunca lo sabremos con certeza. María Teresa Cayetana de Silva, décimatercera duquesa de Alba, fue una mujer hermosa, inteligente y vital, amiga e inspiradora de muchos artistas de su tiempo. Es en 1786, reciente el fallecimiento del duque, y reciente también la gravísima enfermedad que había ocasionado la definitiva sordera de Goya, cuando conviven durante largos meses en el palacio ducal de Sanlúcar de Barrameda. Tenía cincuenta y un años el pintor, y treinta y cinco la aristócrata. De este largo encuentro tenemos un admirable testimonio en el pequeño cuaderno que, a lo largo de esos meses, llenó Goya de ligeros dibujos a la aguada: reflejos instantáneos y frescos de un pequeño mundo sensual, inocente, poblado por las cálidas intimidades de la duquesa que se sube una media, o es sorprendida voluptuosamente en plena siesta, o mirándose en el espejo a la salida del baño, húmedos aún los cabellos y el cuerpo, o se ofrece en hermoso desnudo frontal a la mirada del artista. Goya, sin duda, estuvo muy enamorado de ella. En los *Caprichos* encontraremos más de un testimonio de ese amor, pero ahora hosco, dolorido. La duquesa murió en 1802, y no es probable que posara para los dos célebres cuadros. Pero no importa. Esas figuras, tan ajenas al curso de la época, tan distantes del clima espiritual del Aragón natal o de la corte madrileña, son la miel de los días más felices de la vida atormentada de Goya, el influjo de la sensualidad andaluza de la corte informal de Sanlúcar de Barrameda, y la búsqueda, inédita en el arte, ya no de un ideal de belleza femenina, sino del perfume y el tacto de la mujer amada.

La escena de *Los Fusilamientos* constituye la agresión más violenta que podemos experimentar en el Museo del Prado. El arte occidental había presentado durante siglos el martirio de Cristo; jamás, en cambio, se había atrevido a proclamar la brutalidad anónima del poder con esta precisión de fecha y circunstancia. La guerra había sido pretexto y ocasión de miles de pinturas; pero Goya fue el primero que se atrevió a desinflar la retórica de los vencedores para llevar al primer plano la oscura venganza sobre los vencidos. Los extraordinarios valores pictóricos del cuadro son inseparables de sus altísimos valores morales. El arte ha iniciado aquí un giro transcendental, mucho antes de que Courbet, Millet y Daumier desafiaran las convenciones de la pintura para interesarse por la suerte del pueblo.

La formación del Museo del Prado

La creación del Museo tiene, a pesar de todo, un desarrollo como casual, improvisado, en contraste con la sistemática ambición coleccionista de los reyes. Al terminar la guerra contra los franceses, Madrid cuenta, por un lado, con unas colecciones de pintura formadas por miles de cuadros, muchos de ellos en condiciones gravísimas de deterioro, y cuya reunión en una verdadera pinacoteca viene siendo inútilmente reclamada desde los tiempos de Felipe II. La capital dispone también, a esas alturas, de un magnífico edificio neoclásico, recién construido y ya arruinado, del que apenas se recuerda su destino fundacional como Museo de Ciencias Naturales. Se atribuye a la esposa de Fernando VII, María Isabel de Braganza, el impulso que unirá edificio y colecciones en un verdadero museo, cuya apertura al público tendrá lugar el 19 de noviembre de 1819.

El edificio había sido proyectado por el arquitecto Juan de Villanueva, y levantado a partir de 1787, bajo el reinado de Carlos III. Según las malas lenguas, al conde de Floridablanca, impulsor de la obra, le importaba más el embellecimiento del paseo del Prado que la asignación final del edificio; la realidad se encargaría de demostrar que no había base científica en aquella España para un Museo de historia natural de tan enormes proporciones. Durante la guerra, aún inacabado, servirá de cuartel, almacén y cuadra de caballos, el plomo de las cubiertas será arrancado, de tal modo que, a pesar de un acondicionamiento urgente, las primeras pinturas que llegaron desde los palacios reales entraron en un caserón en ruinas. Se pueden decir aquí dos cosas, aparentemente contradictorias: a partir de entonces, la reconstrucción, terminación y acondicionamiento del edificio no ha concluido, ni probablemente, dados los continuos cambios y avances impuestos por las nuevas técnicas y modas museísticas, concluirán nunca; mas, por otro lado, Madrid cuenta desde entonces con una construcción monumental y hermosa, magníficamente adaptada a los fines para los que fue destinado a partir del reinado de Fernando VII.

A la ruina de la obra de Villanueva se añadirá, en la segunda década del siglo XIX, el gravísimo deterioro de las Colecciones Reales. La guerra había sido el pretexto de no pocas rapiñas napoleónicas, agravadas por la brutal negligencia posterior de Fernando VII: cuando el duque de Wellington recupera en Vitoria el tesoro que José Bonaparte trataba de pasar a Francia, Fernando VII rechaza la devolución de las pinturas, que tomarán así el camino de Inglaterra. Por eso hoy se pone en cuestión el timbre de gloria (el único) de aquel reinado. Pues la creación del Museo del Prado, lejos de responder a una voluntad generosa e ilustrada, puede no haber sido otra cosa que la manera más fácil de desembarazarse de unas obras de arte que hacían imposible la redecoración del Palacio Real «en la línea pequeño-burguesa del modelo francés, con papeles pintados, menudos cuadritos de género, colgaduras de París y otros elementos que nos consta constituían el gusto más inmediato del rey» (Alfonso Pérez Sánchez).

A lo largo de su primera época, el Museo del Prado será poco más que un inmenso almacén de pinturas, en el que apenas se exhiben, según el primer catálogo, trescientos once cuadros (cuando sabemos que Carlos IV había heredado cerca de cinco mil pinturas); el resto permanecerá amontonado, en pésimas condiciones, en salas y sótanos sin la menor garantía de conservación. Por lo demás, el museo no es por entonces sino una prolongación de los palacios reales: hasta la revolución de 1868, el Prado será propiedad particular de Isabel II.

Con todo, el celo de algunos de los primeros comisarios nombrados por la Corona permitió que desde el principio el museo completara las Colecciones Reales con la incorporación de grandes obras de la pintura española, gracias a la adquisición afortunada de obras como *El Cristo* de Velázquez, o *La Trinidad* del Greco (pág. 15). Los cuadros del Escorial son traídos a Madrid durante las guerras carlistas. Y en 1872 queda completo el establecimiento del museo, tal como hoy lo conocemos, con la incorporación de los fondos hasta entonces consignados al Museo Nacional de la Trinidad, donde se habían reunido desde 1836 cuadros, fundamentalmente de tema religioso, procedentes de los conventos abandonados de resultas de la Desamortización.

El siglo XX trae, en primer lugar, la modificación de la estructura directiva del museo, con la creación de un organismo autónomo, el Patronato, y la formulación de un programa de trabajo a la altura de las obligaciones de un museo moderno (1912). Esta renovación estimula un conjunto de importantes donaciones privadas (entre las que destaca, en 1915, la de Pablo Bosch, con obras del Bosco y del Greco), propicia ampliaciones y renovaciones de las salas de exposición, permite la redacción de un catálogo mucho más riguroso que los existentes. Es la época en que el Prado, emulando a los grandes museos del mundo, organiza exposiciones antológicas sin precedentes (y, por desgracia, sin continuidad hasta nuestros días), como la consagrada a Goya con motivo del primer centenario de su muerte (1928). La recuperación del Patronato como organismo autónomo es una de las aspiraciones actuales de cuantos se sienten identificados con la vida del Museo del Prado.

Pero el acontecimiento más importante de este siglo XX, también en lo que se refiere al Museo del Prado, ha sido la guerra civil de 1936-39. La existencia del museo durante esos terribles años está marcada por hechos cuya ejemplaridad merece una difusión muy superior a la que hasta ahora han tenido en España.

Con la capital sitiada por las fuerzas alzadas contra el Gobierno de la República, y ante el peligro constante de los bombardeos de la aviación sobre Madrid, se plantea la imperiosa necesidad de proteger adecuadamente los tesoros del museo. Al comienzo de la guerra, los grandes lienzos son desprendidos de sus marcos y depositados en los sótanos del edificio, para lo cual se crearon sistemas de almacenamiento que aún se encuentran en pleno uso. Más adelante, la gravedad de la situación aconseja medidas más radicales: empleando precauciones verdaderamente inusitadas en medio de la guerra, pero muy demostrativas del inmenso aprecio que el pueblo madrileño siente por el principal monumento de su cultura, los cuadros más importantes son trasladados por carretera hasta la más segura ciudad de Valencia, donde se habían habilitado recintos como las Torres de Serrano y el Colegio del Patriarca. No se trata de refugios de fortuna, improvisados; por el contrario, los cuadros se encontrarán en unas condiciones que no tenían en Madrid, con una eficaz protección contra incendios, y con unas instalaciones de aire acondicionado que por entonces apenas existían en algún museo del mundo (y de ninguna manera, por cierto, en el Museo del Prado).

El ministro de Instrucción Pública, Jesús Hernández, comprendió muy pronto que la magnitud del esfuerzo que se estaba realizando merecía una proyección internacional en beneficio del prestigio de la República. A ese propósito responde, sin duda, el nombramiento de Pablo Picasso como Director del museo en septiembre de 1937, cuando el pintor acababa justamente de presentar el *Guernica* en el Pabellón Español de la Exposición Internacional de París. El nombramiento era forzosamente simbólico; sin embargo, podemos felicitarnos de una decisión que de algún modo asocia al más grande de los pintores del siglo con la pinacoteca española por antonomasia.

El traslado de los cuadros a Valencia (353 en total, que al final de la guerra serían confiados a la Sociedad de las Naciones en Ginebra, para su devolución al gobierno vencedor) no significó la paralización y el cierre del museo. En contraste con lo ocurrido durante la guerra contra los franceses, catastrófica para el patrimonio artístico español, la guerra civil sirvió, casi increíblemente, para recuperar y salvar no pocas obras de arte. Grandes cantidades de cuadros y otros objetos procedentes de conventos, iglesias y mansiones particulares, fueron recuperados por la Junta del Tesoro Artístico y trasladados al Prado, a salvo de destrucciones y pillajes. Allí se llevó a cabo, durante toda la guerra, una empresa de restauración asombrosa, que devolvió la vida a grandes obras maltratadas por la incuria de los siglos, como los Grecos de Illescas, o *El Jardín de las Delicias,* del Bosco, que hasta 1937 seguía en El Escorial en estado de ruina. De esta manera, al término de la guerra civil, no sólo regresaron al Prado, intactos, sus mejores cuadros. También salieron desde los talleres de restauración del museo hacia sus lugares de procedencia (con frecuencia domicilios particulares) una gran cantidad de obras de arte redivivas, perfectamente restauradas, en un esfuerzo que nadie ha reconocido, y cuya historia todavía no se ha escrito.

La revitalización de la vida cultural española en el curso de los últimos años empieza a manifestarse también en el creciente interés del público por todo lo que atañe al Prado. Interés todavía insuficiente, como no podía ser menos tras largos años durante los cuales sólo fue entendido como una más de las grandes atracciones turísticas nacionales, pero prometedor de una nueva era. Una era en la que el esplendor de unas colecciones incomparables irradie sobre todos los campos de la cultura española, y en la que decir que el Museo del Prado es el mejor del mundo no resulte una afirmación inocentemente chauvinista.

La pintura española está arraigad[a]
tradiciones antiquísimas, a pesar [de]
que sus grandes maestros hayan
aparecido en épocas relativamen[te]
tardías de la historia del arte.

La pequeña viñeta sobre estas lín[eas]
detalle de una «Escena de Caza»
procede de la iglesia mozárabe d[e]
Casillas de Berlanga, y nos perm[ite]
evocar, siquiera brevemente, el
esplendor de la pintura románica [de]
toda España, representada en es[te]
caso por el desconocido artista c[ual]
en el siglo XI decoró esta pequeñ[a]
capilla castellana.

El «Santo Domingo de Silos»
(izquierda) es una tabla de Barto[lomé]
Bermejo, nacido hacia la mitad d[el]
siglo XV. Su pintura, como toda [la]
de la época en España, revela la
influencia de la primitiva pintura
flamenca; los fondos dorados, e[n]
cambio, son todavía reminiscenc[ia]
del arte bizantino.

El «Retablo del Arzobispo don Sa[ncho]
de Rojas» (derecha), realizado a [los]
principios del siglo XV, procede [del]
monasterio de san Benito de
Valladolid, y su autor no ha sido
identificado todavía.

El óleo de *El Greco* «La Santísima Trinidad» (derecha) es una de las primeras pinturas realizadas por su autor en España, y perteneció al convento de Santo Domingo el Antiguo de Toledo. «La Resurrección» (izquierda), y «El Bautismo de Cristo» (abajo), constituyen espléndidas muestras de su peculiar estilo en la representación de temas religiosos.

El «San Juan Evangelista» (derecha) forma parte
uno de los Apostolados de *El Greco*. La temática
religiosa permitía aquí la expresión de las grandes
cualidades del pintor como retratista.

El «San Sebastián» (izquierda», «La Coronación
de la Virgen» (izquierda, abajo), y «La Venida del
Espíritu Santo» (arriba) son ejemplos admirables
de la labor desarrollada por El Greco desde su
llegada a Toledo, donde las corporaciones
religiosas supieron apreciar desde el primer
momento la poderosa originalidad del orgulloso
pintor mediterráneo.

Doménicos Theotokópoulos, *El Greco* (1540-1614), constituye un caso absolutamente peculiar en la historia de la pintura. Su origen y su primera formación nada tienen que ver con las corrientes artísticas predominantes en su tiempo. Heredero de las tradiciones del arte bizantino, El Greco aprende en Venecia y en Roma los modos italianos, pero no se convierte en un pintor de aquella escuela. Por el contrario, se dirige a España, y en Toledo, una ciudad ajena al gran mundo de la pintura renacentista, crea su obra intensamente personal, inconfundible. En ella se pueden rastrear los elementos bizantinos, las enseñanzas venecianas, el espíritu barroco de los tiempos, pero sometidos todos ellos a una síntesis inimitable. Colorista original y atrevido, El Greco menosprecia a los que considera dibujantes más que pintores (entre ellos, nada menos que a Miguel Angel).

«La Adoración de los Pastores» (derecha), una de sus últimas obras, presidió durante mucho tiempo, en una capilla de Santo Domingo el Antiguo, el enterramiento del artista. «La Crucifixión» data de la misma época. «El Caballero de la Mano al Pecho» (arriba) es el más célebre de los muchos retratos pintados por El Greco.

19

El Barroco español fue pródigo en grandes pintores. Francisco *Rib* (1565-1628), autor del cuadro «Sar Francisco confortado por un Ange (izquierda), es uno de los primeros introductor en España de la técnic del claroscuro que aquí se llamó «Tenebrismo».

«El Sueño de Jacob» (abajo), es obra de José de *Ribera,* el Españo (1591-1652), que realizó casi toda su obra en Nápoles.

«La Última Cena», (derecha) de Juan de *Juanes* (1523-1579), representa todavía el espíritu clasicista previo a la plena afirmación del Barroco.

Francisco de *Zurbarán* (1598-1664) es uno de los maestros de la pintura española más apreciado actualmente. «Santa Casilda» (derecha abajo) es un retrato, en clave religiosa, de una dama andaluza, ataviada con los vestido de la época.

«El milagro del pozo» (abajo, derecha), de Alonso *Cano* (1601-1667), es una obra inspirada en el naturalismo que los pintores barrocos españoles cultivaban a p de los condicionamientos religioso de su obra.

21

Diego de Silva y *Velázquez* (1599-1660) es la máxima gloria de la pintura clásica española, y uno de los grandes genios del art[e] de todas las épocas. El Museo de[l] Prado es, en gran medida, el m[useo] de Velázquez, y el santuario de la[...] única gran colección de pintura[s] de este artista.

«La Rendición de Breda», o «Las Lanzas» (detalle, izquierda), pertenece a un período completamente distinto (hacia 1[...] cuando el estilo personal de Velázquez se encuentra totalmen[te] consolidado.

«La Fragua de Vulcano» (abajo), obra igualmente temprana, signif[...] la aplicación del mismo concepto[...] naturalista a los temas de la mitología clásica.

«La Adoración de los Magos» (derecha) data precisamente de e[...] período de aprendizaje. Velázque[z] la pintó en Sevilla, antes de cum[plir] los veinte años, y se supone que utilizó como modelos a miembro[s] de su propia familia.

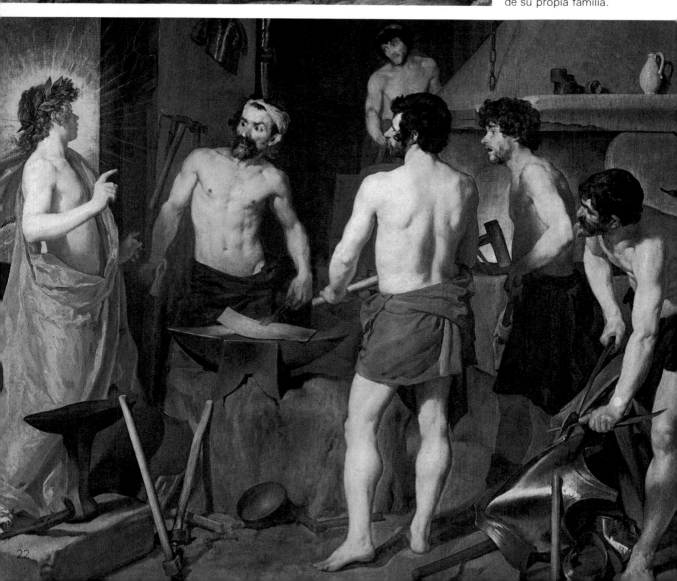

Velázquez se trasladó a la Corte a invitación del Conde Duque de Olivares, y pronto fue nombrado pintor del rey por Felipe IV. Velázquez no sólo pintó para el rey, sino que se preocupó también por la conservación y el incremento de las colecciones reales de pintura, sugiriendo no pocas adquisiciones de pintura italiana.

Velázquez ejecutó numerosos retratos de todos los miembros de la familia real. Los dos retratos ecuestres de «Felipe IV» (arriba) y de «El Príncipe Baltasar Carlos» (derecha) se completan con un tercero, el de la reina Isabel de Francia, esposa de Felipe IV. Fueron pintados hacia 1637 para adornar el Salón del Buen Retiro. Son los famosos retratos ecuestres en los que Velázquez pinta, además de la majestad solemne de los personajes, conforme a las normas del retrato oficial, el paisaje, y más aún que el paisaje el aire, de la sierra del Guadarrama. El paisaje no es aquí un fondo: es una atmósfera viva que envuelve toda la pintura, redimiendo con su movilidad el estatismo casi escultórico, monumental, de las figuras.

Bajo estas líneas, al lado de otro de los
numerosos retratos oficiales «El Cardenal
Infante don Fernando de Austria»,
podemos admirar ese espléndido retrato d
«Pablos de Valladolid», bufón de la Corte,
uno de los mejores retratos pintados por
Velázquez.

«Las Hilanderas» (izquierda) representa,
en el ocaso de la vida de Velázquez,
pero también en la plenitud de su arte,
el retorno a su personal visión de la pintur
sobre temas mitológicos (en este caso la
Fábula de Ariana, título original de la
pintura), trasladados a un escenario
plenamente natural y contemporáneo.

«La Infanta Margarita» (derecha),
protagonista de «Las Meninas», está
representada aquí a la edad de ocho o
nueve años. Es el último de los muchos
retratos que le dedicó Velázquez. La famo
pincelada de Velázquez consigue con unos
pocos trazos revelar virtualidades hasta
entonces desconocidas en la pintura.

Sevilla fue durante todo el siglo X[...]
el más activo centro pictórico de l[...]
Península. Y el maestro por
antonomasia de esta escuela sevil[...]
es Bartolomé Esteban *Murillo*
(1618-1682). La religiosidad intens[...]
y el no menos intenso carácter
popular, de la pintura sevillana,
quedan patentes en los grabados [...]
estas dos páginas.

«La Virgen y Santa Ana» (derecha[...]
es una versión muy característica
de un tema clásico de la pintura
religiosa, centrado en la imagen d[...]
una Virgen niña. «La Sagrada Fa[...]
del Pajarito» (izquierda) acentúa [...]
aún ese naturalismo doméstico
con el que Murillo alimentará dur[...]
siglos la piedad popular en España[...]

«La Adoración de los Pastores», y
«La Virgen y san Ildefonso» (abaj[...]
siguen una línea más convencional[...]
pero son muestras cabales del es[...]
suave y evocador de Murillo.

«El Buen Pastor» (izquierda) y «La Inmaculada Concepción» (derecha) son dos de las obras más populares de *Murillo.* Gran retratista de niños, Murillo exhibe en «El Buen Pastor» su estilo preciosista, pero apegado a la sensibilidad y al gusto de las gentes sencillas. El misticismo se sobrepone aquí artificiosamente a la cotidianidad de la imagen. En la Inmaculada, en cambio, el simbolismo a ultranza del tema, tan del agrado de la piedad sevillana de la época, domina por entero la pintura, alcanzando una de las más perfectas expresiones artísticas del sentimiento religioso español durante la Contrarreforma. El cuadro permaneció en Francia desde la invasión napoleónica hasta su devolución por el Louvre, en 1940.

Paret (1746-1799) pudo haber
el gran pintor rococó de la
uela española. Se lo impidió su
a irresistiblemente satírica, tan
esta a las convenciones
esanas del estilo y de la época.
uadro «Carlos III comiendo con su
e» (izquierda, abajo), ridiculiza
stumbre según la cual el rey
enta solo a la mesa, rodeado por
orte y la nobleza, y acompañado
us perros de caza. Hasta la firma
pintó Luis Paret, hijo de su
e y de su madre») constituye una
encia. «Las Parejas Reales»
uierda), también de Paret,
esenta una fiesta cortesana en
njuez.

aseo de las Delicias» (derecha)
n boceto para tapiz de Francisco
eu (1734-1795), contemporáneo
ñado de Goya.

onio *Carnicero* (1748-1814), autor
a «Ascensión de un Montgolfier
Madrid» (abajo), es otro
emporáneo de Goya, a quien
de imitar muchas veces. La
mplación de estas cuatro
ras servirá sin duda para
ciar mejor la originalidad y el
o de Francisco de Goya.

33

Francisco de *Goya* y Lucientes (1746-1828) ilumina con su pintura un período crucial de la vida española: desde la época ilustrada reformadora de Carlos III, hasta la reimplantación del más retrógrado absolutismo bajo Fernando VII, pasando por la invasión napoleónica, la Guerra de la Independencia, y la promulgación de la primera Constitución española.

A su primera época como pintor de corte corresponden los magistrales cartones para tapices. «La Vendimia» (derecha), uno de los más célebres, data de 1786, y forma parte de una serie sobre las cuatro estaciones. «El Cacharrero» (izquierda) es otra magnífica composición, en la que Goya ha contrastado el estatismo del grupo de vendedores con el movimiento del coche que atraviesa la escena. «La Gallina Ciega» (abajo) completa esta trilogía de imágenes amables, ligeras, evocadoras de concepciones bucólicas y literarias de la vida según las convenciones del siglo XVIII.

Pintor del rey, *Goya* parece haber
reservado justamente para la fami
real sus más crueles caricaturas.
«La Familia de Carlos V» (derecha
abajo), es un cuadro célebre por l
despiadada mordacidad de los
retratos, de la que sólo se salva la
inocencia del Infante don Francisc
de Paula. En cambio, en «Los
Duques de Osuna y sus hijos»
(izquierda, arriba), Goya demuest
su abierta simpatía hacia esta jove
familia de la nobleza madrileña.

«La Maja Vestida» (derecha) y «La
Maja Desnuda» constituyen la
culminación de la maestría de Go
en el retrato familiar. El «Autorretr
(arriba), pintado a los setenta añc
como los muchos que pintó a lo
largo de su vida, demuestran una
notable capacidad de introspecció
El vigoroso carácter del pintor qu
aquí de manifiesto, a pesar del
sentimiento de amargura que se
advierte en su rostro.

«La Ermita de San Isidro» (izquier
pertenece todavía a la serie de
cartones realizados para la Real
Fábrica de Tapices.

«El Dos de Mayo de 1808»
(arriba) *Goya* relata con vibrante
dramatismo la revuelta del pueblo de
Madrid contra las tropas de Napoleón.
«Los Fusilamientos del 3 de Mayo
en la Moncloa» (derecha) expresa
de una manera brutal, inédita en el
arte, la violencia de la represión
contra ese mismo pueblo.

En la página de la izquierda tenemos
tres ejemplos de las famosas
«pinturas negras» de Goya, última y
desesperada explosión de su genio
antes del definitivo exilio. Son, de
arriba a abajo, «La Romería de
San Isidro», «El Gran Cabrón», y el
impresionante «Duelo a Garrotazos».

«La Nevada» (arriba) pertenece a la misma serie de las cuatro estaciones de la que forma parte el cartón de «La Vendimia». En esta aterida escena invernal, virtualmente única en toda la pintura española, el autor de tantas escenas amables y festivas para la Real Fábrica de Tapices exhibe ya su formidable captación del dramatismo de la existencia humana.

El retrato de «Palafox a Caballo» (derecha), representa al héroe de la Guerra de la Independencia, y fue pintado en 1814, el mismo año en que Goya pintó «Los Fusilamientos».

Pintura Italiana está representada
[en e]l Prado por una colección que no
[des]taca por su abundancia, pero en
[q]ue figuran obras insignes de
[mu]chos de los grandes maestros del
[Ren]acimiento.

[Fra] Angelico (Giovanni da Fiesole,
[139]7-1455) pintó el retablo de
[«La Anunciación»] (izquierda, abajo)
[haci]a 1440, para su convento de
[San]to Domingo de Fiesole. «La
[Ado]ración de los Magos» (izquierda)
[es u]na de las cinco tablillas que
[com]ponen la predella del retablo.

[«La] Historia de Nastagio degli
[One]sti» es una interpretación en
[cua]tro tablas, realizada por Sandro
[Bot]ticelli (1444-1510), de uno de los
[cue]ntos del «Decameron» de
[Boc]caccio. Tres de las tablas,
[repr]oducidas en esta página, se
[enc]uentran en el Prado, mientras
[que] la cuarta se conserva en Londres.

«La Sagrada Familia del Cordero» (derecha), pintada en 1507, es una de las obras más representativas del período florentino de *Rafael* de Urbino (1483-1520). La serie de las Madonnas realizadas entonces, cuando Rafael contaba poco más de veinte años, lo consagraron como uno de los grandes genios de la pintura del Renacimiento.

«La Sagrada Familia» (arriba) es obra posterior, pintada sin duda en Roma, y algunos eruditos ven en el cuadro la mano de los ayudantes del artista. Felipe IV, que hizo adquirir este cuadro en la subasta de las colecciones de Carlos I de Inglaterra, bautizó este cuadro como «La Perla» de sus propias colecciones.

En «El Cardenal» (izquierda) el gran
retratista que fue *Rafael* logró uno de
los mejores retratos de todo el
Renacimiento. No conocemos la
identidad del personaje: quizás
alguno de aquellos dignatarios
eclesiásticos de vida turbulenta, cuyo
nombre se ha hecho desaparecer
de los anales del arte.

Tiziano Vecellio (1477?-1576) fue el
pintor predilecto del Emperador
Carlos V y de su hijo, Felipe II.
Las colecciones reales, y luego el
Museo del Prado, se enriquecieron
con muchas de sus más célebres
obras. «Venus recreándose con la
música» (arriba) nos ofrece un
desnudo abiertamente sensual,
apenas atenuado por el pretexto
mitológico.

«Venus y Adonis» (derecha), del
Veronés (Paolo Caliari, 1528?-1588),
posee la opulencia y el colorido de
las grandes composiciones de este
gran representante de la escuela
veneciana.

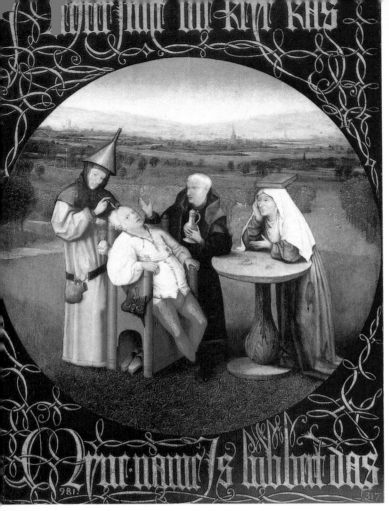

La Pintura Flamenca ha sido admirada y coleccionada en España desde el siglo XV, cuando empezó a llegar a Castilla gracias a los intensos intercambios comerciales con los Países Bajos. Más adelante, las alianzas dinásticas favorecieron la abundancia de esta pintura en las colecciones reales, de las que el Prado heredó su riquísima muestra actual.

«La Extracción de la Piedra de la Locura» (izquierda) nos introduce en el particularísimo mundo de Hieronymus Bosch, El Bosco.

«El Descendimiento» (izquierda, abajo) de Roger van der Weyden (1399?-1464) es una de las obras maestras esenciales de la primitiva pintura flamenca. El carácter escultural de la pintura, el dramatismo impreso a la escena, el ritmo casi musical de la composición, son algunas de sus extraordinarias cualidades.

«La Adoración de los Magos» (derecha) es el panel central de un tríptico, obra de Hans Memling (1433-1494). Perteneciente a la tercera generación de los grandes maestros primitivos flamencos, Memling suaviza los colores y las formas, y logra efectos de gran serenidad contemplativa.

49

Hieronymus *Bosch* van Aeken (1453-1516), conocido en España como El Bosco, es uno de los numerosos pintores para cuyo conocimiento es imprescindible visitar el Museo del Prado. Si consideramos que se trata de un contemporáneo de Leonardo da Vinci, apreciaremos mejor las peculiaridades de la pintura flamenca, en un momento ya relativamente tardío Renacimiento. Fiel a las características de la pintura flamenca, la obra de El Bosco constituye, sin embargo, un conjunto absolutamente único en la historia de la pintura.

«La Mesa de los Siete Pecados Capitales» (abajo) está considerada como una obra temprana del autor. En siete viñetas intensamente satíricas, divertidas, El Bosco nos hace su peculiar descripción de los pecados capitales. En el centro, mientras tanto, una advertencia: «Cuidado, cuidado, Dios lo está viendo». Y en las esquinas, otras cuatro viñetas remachan la advertencia, representando la Muerte, el Juicio, el Cielo y el Infierno. La iconografía de esta mesa se repetirá lo largo de toda la obra de El Bosco, de forma cada vez más «surrealista».

En «El Carro de Heno» (derecha) El Bosco ilustra quizás un dicho flamenco: «El mundo es una carga de heno de la cual cada uno arranca lo que puede». Como en todas las obras de El Bosco, la detenida contemplación de esta pintura depara todo tipo de sorpresas y sobresaltos. Bajo la mirada de Cristo, al que un ángel invoca desesperado desde la cima de la carreta, una variada representación del género humano, en la que no faltan el Emperador ni el Papa, escenifica la demenc de la vida. A los lados de este panel, formando un tríptico, El Bosco representó el Paraíso y el Infierno.

«El Jardín de las Delicias» (derecha) es la obra más célebre de *El Bosco*. Se le llamó «El cuadro de las fresas», que aparecen profusamente en la pintura con símbolo de la sexualidad. La inventiva del pintor desborda aquí todos los límites. El tríptico se complet con los dos paneles laterales. El de la izquierda representa el Paraíso, con la creación de Adán y Eva (arriba), mientras que el de la derecha (reproducido aquí a la izquierda de estas líneas), presenta una escalofriante visión del Infierno. Para El Bosco, la existencia humana, perdido el Paraíso, no parece sino una diversión frívola o trágica, cuyo final seguro es el infierno.

Joachim *Patinir* (1480-1524) incorpora a su pintura elementos que proceden directamente de El Bosco, pero introduciendo de lleno lo que por entonces constituye todavía una gran novedad pictórica: el paisaje como protagonista. En «El Paso de la Laguna Estigia» (arriba) podemos observar los sorprendentes efectos de esta innovación.

«Santa Bárbara» (sobre estas líneas, izquierda) es una primitiva pintura flamenca del *Maestro de Flémalle* (siglo XV). «El Cambista y su Mujer» (derecha) es de *Marinus (Claeszon van Reymerswaele,* 1500-1567).

Gerard David (1450-1460 + 1523), pintor flamenco de la escuela primitiva, cuyo cuadro «Descanso en la huída a Egipto» (derecha) es representativo de la finura alcanzada por los maestros de esta escuela en la utilización de su gran aporte técnico a la pintura: el óleo.

...er *Brueghel, el Viejo* (1525-1569)
...a el ciclo de la pintura primitiva
...enca, milagrosamente ajena a
...das y tendencias extranjeras, y fiel
...s raíces populares, festivas unas
...es, y otras, como en El Bosco,
...lmente satíricas. «El Triunfo de la
...erte» (detalle, izquierda) es una
...ión terrorífica, todavía medieval,
...do otros países ya han agotado
...enacimiento.

... *Brueghel de Velours* (1568-1625),
...del anterior, es el autor de «El
...to» (arriba), parte de una serie
...re los cinco sentidos. Pieter
...*eghel, el Joven* (1564-1638) es
...de los continuadores del oficio
...iliar. Su «Paisaje con paseantes»
...echa) completa esta muestra de
...ás dilatada dinastía pictórica
...a historia del arte.

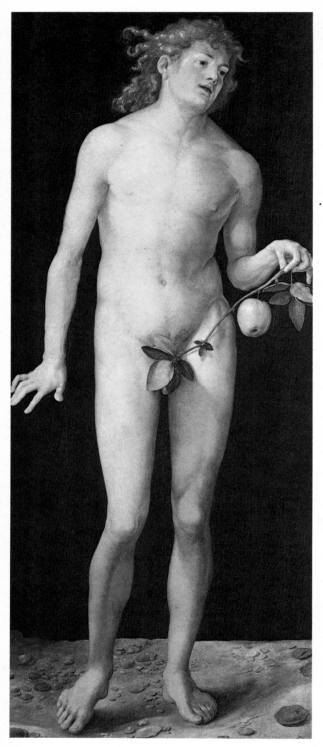

En Alemania, la pintura del Renacimiento se identifica por antonomasia con un nombre, el de Alberto *Durero* (1471?-1528). Pero Durero hizo mucho más que importar de Italia una nueva visión del arte, y las semillas de la nueva cultura humanística. Se alzó él mismo como uno de los grandes genios artísticos de todos los tiempos, sólo comparable a Leonardo en su extraordinaria virtuosidad para el dibujo, la pintura, el grabado, la escultura y la teoría del arte.

En el Prado, donde la pintura alemana se halla escasamente representada, figuran, sin embargo, algunas de las mejores obras de Durero. Los dos óleos reproducidos en esta página, «Adán» y «Eva», fueron realizados en 1507. Durero, que fue introductor del desnudo en la pintura de su patria, alcanza aquí la perfección de su clasicismo.

Hans *Baldung* Grien (1484-1545) es uno de los grandes continuadores de la corriente renacentista introducida por Durero en Alemania. Sus desnudos aparecen siempre en el contexto de obras simbólicas y alegóricas, y, a diferencia de los que hemos visto, obra de Durero, su clasicismo todavía está fuertemente teñido de reminiscencias góticas. «La Armonía», o «Las Tres Gracias» (derecha) forma parte de un díptico, que se completa con otra famosa tabla en la que Grien representa «Las Edades de la Vida».

Pedro Pablo *Rubens* (1577-1640) representa la genial culminación de la pintura flamenca. Heredero de la vitalidad de sus predecesores, pero también del clasicismo italiano, combina ambas tradiciones en una síntesis barroca, inconfundible, uno de cuyos ejemplos más célebres es el cuadro de «Las Tres Gracias» (arriba). «Diana y sus Ninfas sorprendidas po Faunos» (derecha, arriba) es una de sus anchas y agitadas composiciones mitológicas, correspondiente al último período de su vida. «El Jardín del Amor» (doble página siguiente) pertenece también a la última década de su vida, cuando su segundo matrimonio, con la joven Helena Fourment, hizo renacer su entusiasmo y su amor por la vida.

«Fumadores y Bebedores» (derecha), de Adriaen *Brouwer* (1606-1638) es una obra que nos permite observar cómo, en pleno siglo de Rubens, sobreviven las tradiciones populistas de la pintura flamenca.

62

Jacob *Jordaens* (1593-1678), discípulo de Rubens, fue uno de los pintores más populares y queridos de su tiempo. «La Familia del Artista» (arriba) está considerado como uno de sus cuadros más sobresalientes. De su estilo franco, grandilocuente y jovial, es buena muestra la pintura alegórica «Atalanta y Meleagro» (derecha, abajo).

Frans *Snyders* (1579-1657) trabajó como ayudante en el taller de Rubens. Reintroduce el bodegón en la pintura flamenca del siglo XVII, y se convierte en el mejor exponente de este género pictórico. «La Cocinera en la Despensa» (derecha, arriba) es un ejemplo típico del minucioso barroquismo con el que abordaba sus temas favoritos, los animales y la caza.

El siglo XVII, uno de los grandes períodos de la historia de la pintura, es pródigo en grandes maestros. El Barroco, ilustrado aquí con la obra del italiano Orazio *Gentileschi* (1565?-1639), «Moisés salvado de las aguas» (arriba), se encuentra en pleno apogeo en todos los países de Europa. Pero la obra de los grandes genios como Rubens o Velázquez supera ampliamente las limitaciones de cualquier estilo. Otro tanto se puede decir de la obra de *Rembrandt* van Rijn (1606-1669). «La Reina Artemisa» (derecha) es una pintura de tema mitológico, pintada en 1634, y por lo tanto una de sus obras maestras más tempranas.

Tras adquirir Holanda su
independencia, a comienzos del
siglo XVII, la pintura se desarrolla
como en un espacio cerrado, y co
características muy propias. La
demanda de pintura es enorme,
gracias a la prosperidad comercia
los pintores se especializan en
distintos «géneros». Los «Bodego
de Cooseman (izquierda) y de Aa
de Utrecht (abajo), y el «Paisaje c
Patinadores», de Cornelius
Drooschsloot, son ejemplos
característicos de este tipo de pin

Mientras tanto, en Flandes, los
pintores siguen acudiendo a los t
religiosos, a la mitología, y sobre
todo a los asuntos populares y
festivos, como David Teniers, El
Joven, autor de «La Fiesta
Campestre» (derecha, abajo).

La «Marina» (abajo)
de Johannes *Parcellis* (1548-1632)
el «Paisaje con el embarque de
santa Paula Romana en Ostia»
(abajo), de Claude *Lorrain* (1600-1
ilustran cómo este género paisajís
inventado prácticamente por los
pintores holandeses, hace rápida
fortuna en el resto de Europa.
Lorrain lo cultiva con un espíritu
clasicista, incorporando elementos
anecdóticos, y sobre todo añadien
fondos de arquitectura o de ruinas
clásicas, creando virtualmente un
nuevo género o subgénero pictóri

«El Contrato Nupcial» de Jean-Antoine *Watteau* (1684-1721) es una de las más preciadas pinturas de la escuela francesa que se conserva en el Museo del Prado. Los pequeños cuadros de este refinado artista son un prodigio de sensibilidad. Las fiestas y reuniones al aire libre, tema predilecto de Watteau, corresponden plenamente a los gustos del rococó francés. Pero hay en este artista una profundidad de sentimiento y una capacidad de observación que superan las convenciones del período, y, al propio tiempo, una vibración de formas, unos valores plásticos, que revelan la mano de un verdadero maestro de la pintura.

INDICE